그 여름밤, 나에게 너에게

그 여름밤, 나에게 너에게

발　행 | 2024년 07월 02일
저　자 | 임은선
펴낸이 | 한건희
펴낸곳 | 주식회사 부크크
출판사등록 | 2014.07.15.(제2014-16호)
주　소 | 서울특별시 금천구 가산디지털1로 119 SK트윈타워 A동 305호
전　화 | 1670-8316
이메일 | info@bookk.co.kr

ISBN | 979-11-410-9205-4
본 책은 브런치 POD 출판물입니다.
https://brunch.co.kr

www.bookk.co.kr

그 여름밤, 나에게 너에게

임은선 시집

목차

3부_실바람이 스쳐 간 그곳에서

4부_상처를 얼리고 마음을 녹이며

5부_가까이하고 싶지만 가까이할 수 없는

오늘도 그 누구보다 가장 눈부시게 빛날 당신에게 바칩니다.

어린 시절부터 지금까지 줄곧 필자의 곁을 차지해 왔던 것 중 하나는 바로 '글'입니다. 기쁘고, 슬프고, 행복하고, 불행했던 순간마저 늘 글과 함께하려 했습니다. 글이 지켜줬던 순간들과 앞으로 글과 함께할 순간들을 생각하면 가슴 한편이 뻐근하곤 합니다. 필자의 방은 어릴 적부터 작가의 방이라고 농담처럼 불려 오곤 했습니다. 책장 가득 빼곡하게 채워져 있는 책들과 세월을 함께해온 책꽂이 한쪽 가득 채워져 있는 어린이의 일기장, 급하게 기록한 흔적이 남은 손때 묻은 아이디어 노트, 꿈의 흔적이 보이는 다양한 글들이 이를 보여줍니다.

최근 시집을 준비하며 필자는 어린 시절 일기장을 살펴볼 기회를 가졌습니다. 어린 시절의 필자는 말을 글로 쓰는 것을, 글을 말로 아름답게 표현하는 것을 좋아하는 아이였습니다. 그리고 아이가 글을 좋아할 수 있도록 해준 큰 역할은 선생님이었습니다. 의무적으로 확인할 수 있었던 일기를 정성스레 하나하나 답변을 남겨준 선생님의 친절과 마음에 아이는 감성을 표현할 줄 아는 글을 쓸 수 있게 성장하였습니다. 당시에는 선생님이 써주신 답변은 아이에게 칭찬과 관심으로 남았지만, 어른이 되어 본 선생님의 답장은 정성이 가득한 진심이었습니다.

여러 일기장 중 하나, 첫 페이지 한편에는 "은선아, 글솜씨가 정말 좋다. 글쓰기 실력을 계속 쌓아보면 멋진 작가가 될 수 있을 거야"라는 선생님이 남긴 응원의 메시지가 있었습니다. 일기의 날짜는 3월 7일. 개학 후 얼마 지나지 않아 담임 선생님이 처음 본 아이의 일기에 담겨있는 마음이었습니다. 선생님이 학생을 교육자로서 올바르게 양성하는 건 당연한 것이 아니냐고 할 수는 있지만, 어른이 된 지금 결국 선생님도 하나의 직업이라는 것을 깨닫고 보니, 학생들의 모든 글을 읽고 이런 답변을 매일 남겨주는 게 가능할까? 싶습니다.

부모님은 필자가 작가가 된 지금, 사람에게 '이름'은 정말 중요한 역할이라고 합니다. 필자의 어릴 적 꿈은 아나운서, 기자, 작사가, 작가였습니다. 대학 입학 당시까지만 하더라도 기자가 되고 싶다고 했기에, 더욱이 작가라는 직업을 선택할 것이라고는 전혀 예상도 못 했다고 합니다. 그래도 혹여 이름이라도 잘 불러주면 정말 큰 사람이 되어줄 것 같아서, 큰 사람이 되라고 별명으로 '임 작가'라고 농담처럼 불렀습니다. 당시 필자는 이 별명을 부끄러워했고, 불편해했습니다. 작가는 특별한 재능과 다른 세계의 타고난 사람만 할 수 있다고 생각했습니다. 그러나 실제로 별명처럼 작가가 되었습니다. 여러 마음과 사랑을 받았기에 될 수 있었다고 생각합니다. 덕분에 작가가 된 지금은, 누군가의 마음을 두드리는 글을 쓰는 작가가 되고 싶습니다. 내 글이 잠시라도 다른 이의 삶에 스치듯 머물더라도 그 사람이 편안하게 잠깐이라도 숨을 쉴 수 있고, 마음을 녹일 수 있는 그런 글을 쓰고 싶습니다. 받은 마음을 글로 누군가에게 나누고 싶습니다.

필자가 생각하는 '시'는 시간의 테두리 안에서 마음의 울림과 '말'로 전달되지 못했던 마음과 진심 등이 담겨있는 게 아닐까 합니다. 시집을 통해 독자에게 하여금 한 조각의 잃어버린 시간을 선물하고 싶습니다.

필자는 우리의 주변에는 빛을 내는 별이 가득하다고 생각합니다. 그리고 우리는 마음속에 누구나 별을 품고 있는데요. 별은 정해진 모양이나 형태로 나타나는 것이 아니라 누구에게나 다양한 형태와 모습으로 존재하곤 합니다. 스스로가 별이 되기도 하고 때론 우리가, 또 당신이 나의 별이 되어줄 수도 있습니다.

'어른'이라는 세계에 발을 들이고 나서, 직장생활을 시작하고 나서 크게 잃어버렸던 순간과 시간은 '나'를 돌보고 들여다보고 사랑하는 일이었습니다. 책임지고, 챙길 것이 많아지는 그 위치와 의무가 붙는 것이 많아져 가장 만만한 스스로 망가뜨리고 있지는 않은지 마음에 문을 두드려보고 때론 화해를, 칭찬을, 사과를, 응원을 당신의 진심을 늦지 않게 전했으면 좋겠습니다.

그렇다면 무엇이 우리를 빛나게 만들어 줄까요? 각자만의 세계에서 어둠의 시간이 지나가고 별들의 시간이 펼쳐질 때 반짝입니다. 당신의 마음속에서 '당신'이라는 유일하고도 특별한 별이 세상이라는 어둠 속에서 자리 잡을 수 있도록, 당신과 당신의 사람들을 믿어보면 좋겠습니다. 오늘도 당신의 별이 눈부시게 빛날 수 있길 바라며 마칩니다.

1부

마음이 물들여진 우리에게

초록의 향기

노랑, 분홍을 지나서
싱그러운 초록이 왔다

찡긋하는 코끝에
물 냄새가 스친다

그가 왔다

풀 냄새 가득 몰고 온
여름이 왔다

세상을 우리의 색깔로 물들인다면

세상이 하나의 큰 도화지라면
이 세상은 어떤 색으로 물들어 갈까?
온 세상이 각자의 색으로 물들면
어떤 세계가 펼쳐질까?

빨주노초파남보
무지개 징검다리까지 마음껏 그려보고 나서야
다시 하얀색으로 덮었다

가끔은 상상을 마음껏 해본다
우리가 맞이할 내일의 색깔은 무엇일까?

언젠가 세상을 우리의 색깔로 마음껏 칠해볼까?
함께 그려갈 우리들의 그림은
분명히 아름답고 빛날 수 있겠지!

추억의 레시피

마음 한 자밤
기억 한 스푼

행복 한가득
미련 톡톡 뿌려

뭉치지 않게
저어주면

우린 이걸
추억이라고 불러

그 시절의 풍선처럼

날아가고 싶어
그 시절의 풍선처럼

내가 만든 길을 따라
몽실몽실 기분의 리듬을 타고

구름의 토닥임을 받으며
햇빛 한 자밤 집어

바람의 응원을 받으며
그림자를 침구 삼아
손 꼭 붙잡고 두둥실 둥둥

어릴 적 꼭 붙잡고 있다가
쏙 날아가 버린 그 시절의 풍선처럼

흑백 기억

유난히 긴 밤
내가 만든 작은 우주를 그리며
눈을 감았다 뜨기를 반복한다

눈앞에는 꿈속 단골손님인 흑백 기억이
하나둘씩 물들이며 자신의 색을 남긴다

지우개 없는 그림판처럼
끝도 없이 흔적으로 물들이고
빼곡하게 끊임없이 선을 긋는다

추억조차 없는 흑백 기억은
잊지 말라고 몇 번이고 경고라도 하듯이
날 보러 왔다

도대체 흑백 기억 그는 누굴까
그동안 그가 날 불렀던 건지
내가 그를 그렸던 건지
우리를 찾았던 건지

이제는 조그만 흔적조차 찾을 수 없는
그 흑백 기억은 끝없는 물음표만 남긴 채
오늘도 또 물들어 간다

신기루

불행하진 않지만
행복한 건 아냐

널 보고 싶지만
그립지는 않아

마음이 여전히 흘러가지만
멈추고 싶지는 않아

그저 바라보고 싶어
아는 체하고 싶지 않아

함께 하고 싶지만
지금은 아닐 뿐이야

또렷이 꼿꼿하게
그렇게 피기를 바라

오월의 그대

창문에 반사된 햇빛은
그대처럼 눈부시다

유독 더운 여름이면
어여쁘게 해맑은 미소로 웃는다

그대의 말간 얼굴을 바라볼 때마다
나는 지나온 삶을 후회한다

맑게 살아오지 못한
지난날의 내가 밉다

호수보다 깊은 그대의 눈동자를 바라보면
나의 세상이 곱게 물들어 간다

오월의 그대는
나에게 그런 존재다

꽃 한 송이

꽃 한 송이가 피기까지
얼마나 어려운지
그대 아는가?

식물이 꽃을 피우는 데는
온 힘을 다해야 하는 것을
그대 아는가?

온갖 시련을 견뎌내고 버텨내야 함에
쉬운 인생이라 할 수 없음을
그대 아는가?

꽃이 뭐길래 인생을 걸고 살아야 하는지
우리는 그 깊이를 감히 짐작도 하지 못함을
그대 아는가?

꽃을 선물로 받은 그대가
꽃을 들고 싱그러운 미소를 가득 품은 그대가
얼마나 소중하고 의미 있는 사람인지
그대 아는가?

그대는 알아야 한다
그대가 얼마나 빛나고
꽃같이 어여쁜 사람인지

꽃보다, 너

향기에 취해
나비가 되기로 했다

꽃 중에
제일 예쁜 꽃은
人 꽃이라는데

그 꽃이
너라서 더 좋다

열대야

유독 열대야가 계속되는 밤이면
멀미하듯 울렁거린다

나는 아직 목적지에 도착하지 못했고
그 차에서 내리지도 못했다

나 혼자 타고 있을 뿐인데
삐져나온 꿈과 마주친 설렘에
손끝이 떨리고 가슴이 철렁거렸다

유독 견디기 힘들었던 열대야가 돌아오면
늘 마음잡기가 힘들었다

여름날의 암흑 같은 밤하늘의
넘실거리는 별들의 물결에 취해서였을까
그 아름다운 물결을 잊지 못해서였을까

잠깐 스쳐 가는 뜨거운 어둠이기에
움츠리지 않고 이 열기를 만끽하기로 했다

그 여름밤, 나에게 너에게

마음속 파도가
부서지기를 거듭하고 있어
하얀 거품만 남았지만
깊은 물 속에 잠긴 듯 숨통이 조여와

차가운 심해로부터
벗어나려 발버둥 치지만
보이지 않는 손들이 붙잡고 놓지 않아

무뎌지길 기다리며
그 여름밤의 시간 속에 꼭꼭 숨어있어
노력으로 안 되는 게 있다고
그게 사랑이었나 봐

뻐끔뻐끔

당신은 내게 온 벌일까,
선물일까?

잠결이 남아 있는 그대의 눈 안에
투명하게 내가 비치나 바라보면

나른하게 올라가는 눈꺼풀 아래
온몸을 옭아매듯
짙은 동공이 나를 감싸온다

갈증을 해소하고자
뛰어들었던 건 오만이었나 보다
바다같이 깊은 그 안에 갇혀버렸다

뒤늦게 벗어나려 소리치고 소리쳐도
메아리만 돌아올 뿐 어항 속에 혼자 남았다

뻐끔뻐끔

쉼표

마침표를 찍지 못해
쉼표만 종이 위에 널브러져 있다

이리저리 널린 점들을 보니
끝을 꼭 맺어야 하나 싶다

모양만 다를 뿐이지
결국 점인걸

톡톡톡 쉽기만 한데
이 종이에만 마침표를 못 찍는다

너 때문이다, 종이야

필연

넘실넘실 파도는
잡힐 듯 잡히지 않아
한가득 품기가 어렵다

잡히지 않는 파도에 분해
무작정 모래 위를 걷다 보니
어느새 고운 모래 사이로 포옥포옥 빠지며
지나온 시간을 발 도장을 남겼다

모래 위에 남겨진 흔적들을 뒤로하고
시간 틈에 방치되었던 도장의 주인을 살피니
발가락 사이로 모래알이 알알이 흩어지며
자꾸자꾸 엉겨 붙고 있었다

깔끔하게 지우려다가
되려 모래알은 점점 늘어난다

할 수 없이 온 길을 되돌아
넘실대던 파도가 있던 바닷물에
발을 살짝궁 담가본다

슬그머니 다가온 물미역이
간질간질 발을 괴롭힌다

어느새 깨끗해진 발은
바다를 떠난 순간
다시 모래알에 폭 감싸였다

어쩔 수 없었나 보다
모래알 너를 만날 일이었나보다

가을 우체통 앞에서

빨간 우체통 앞은
계절을 만끽하게 하는
신기한 능력을 품은
마법 같은 곳

작은 손 큰 손
너와 나 할 것 없이
네모나고 각진
편지봉투를 보내는 곳

보내는 그때를
도착하는 오늘을
간직하게 만드는
마음의 배달통

노랗고 빨갛게 물이 든
나의 마음을
가을 우체통 앞에서
너에게 보내리

국화가 되어

하늘과 땅이 멀어지고
향기가 짙어지는 가을에
너를 품게 되었다

분홍에 젖어있는 너는
고고함을 온몸에 두르고
눈길을 끌었다

너의 붉은 향기에 취해
사모하는 마음을
노랗게 물들었다

진실한 마음을 보이고자
나의 하얀 꽃을 내보이고
그대에게 바쳤다

무엇인들 어떠하리
분홍도 빨강도 노랑도 그리고 하양도
너였고 나였다

내 모든 것을 그대에게 주고
진한 보랏빛을 두른 한 송이의 국화로
너의 곁에 남고 싶다

사계

여름 가을 겨울 봄을 지나서
다시 여름이 흩어지고
낙엽을 맞이하는 그 계절이 온다

한여름 밤의 꿈을 보내주고
붉게 물들였던 마음을
파랗게 물들이기 시작한다

아침 이슬 맞으며
울고 웃던 소년과 소녀는
더는 곁에 없다

지난밤 우리의 상처는 묻고
언젠가 다시 올 그날
아름다울 우리의 사계를 맞이한다

겨울의 너울

울렁이는 마음을 붙잡고
주먹 꽉 쥐고 뒤돌아보면

겹겹이 붙어있던
그림자들이 사라진다

땅으로 녹아든 걸까?
바람을 타고 간 걸까?

지나가는 겨울에 기대어
차갑게 부서지는 너울을
일렁이는 눈동자 안에 가득 담아본다

바람의 속삭임

한 줄기 바람이 슬며시 다가와
손에 꽃잎 한 장을 쥐여주네

움켜쥔 손바닥을 펼치면
다시 내게 다가와 살짝궁 속삭이네

피워내는 마음의 대신이라며
그대에게 찬란함을 선물한다고 다음을 기약하네

어느새 옆에서 사라질 궁리가 보이면
급한 숨을 가다듬으며 소리치네

당신을 내게 부르리라고
다시 내게 불어올 거라고

귀가

나올 때는 바빠서 몰랐다
돌아가는 길은 길지만 느긋하다

날은 어두워 캄캄해져만 가는데
사람들은 더 늘어만 간다

나만 홀로 바삐 집으로 들어서는가 생각이 들 때쯤
어느새 집 근처에 다다랐다

나갈 때는 가볍기만 했던 가방이
유난히도 무겁고 짐이 될 때쯤 집에 도착했다

기다리는 이 아무도 없다는 걸 알지만
따뜻하게 머물 수 있는 나만의 보금자리에
나도 모르게 슬그머니 미소가 떠오른다

귀가 완료

2부
안녕, 나의 별아

별이라는 이름으로

가벼운 물음 하나로
마음속의 평화는 헤쳐졌다
나의 별은 어떤 별인가?
어떤 별이어야 하나?
내가 아는 별은
그대들의 별과는 조금 다르다

별다른 이름은 없어도
별이라는 이름 하나로
모든 것을 품으려 하니
작지만 큰 존재임이 틀림없음을
모든 것을 사랑하고 보듬으니
빛나지만 해졌다는 것을

아름다웠던 그 빛도 끝을 알아가니
반짝이고 빛나던 별은 마지막까지
잊지 못한 그 마음을 꾹꾹 눌러 담아
별똥별로 그대 마음으로 톡 떨어져
영원한 붙박이별로 남는다

내 별의 끝은
모두의 기억 속 마지막 모습조차 별이었음을.

어둠과 여명 사이

그대여 울지 말아요
어둠은 어둠일 뿐이니

달이 밝아 보이고
별이 빛나는 이유는
어둠이 있기 때문이죠

해가 뜨기 전에 잠깐
가장 어두운 거예요

감춰진 진실과 마음은
여명이 떠오르는
새벽에 담겨 있으니까요

잊지 말아요
울지 말아요
그리고 기억해 줘요
당신은 나의 여명이라는 것을

이제 내가 그대의 밤하늘이 되어
그대가 마음껏 빛날 수 있도록
커다란 우주가 되어 품어줄게요

별이 스쳐 간 마음

어느 순간 놓쳐버린 조그만 마음
수많은 이야기를 지나다 보면
그 길의 끝에서 마주할 수 있을까?

아득하게만 느껴졌던 그 마음을
밤하늘 가득 채워져 있던
별들을 하나하나 다 세고 나면
그 마음을 다시 만날 수 있을까?

채울 수 없을 것 같은 공허함과
찾을 수 없을 것 같은 쓸쓸함
눈앞이 아른거리는 그리움이 날아가
조그만 마음에 배달될 수 있을까?

우연히 마음과 마음이 다시 맞닿게 된다면
하나 된 마음으로
별똥별처럼 다시 내 옆으로 스쳐 지나가 주길

작은 별 하나

구름으로 가리어 모습을 감춘 달
그 뒤에서 작은 별 하나가
슬며시 모습을 드러낸다

이리 빼꼼 저리 빼꼼
이리저리 기웃기웃 반복하다가
겨우 모습을 드러냈다

본인의 자리를 헤매고
흔들리는 모습이 마치
어린아이가 부모의 품을 찾아 헤매는 것 같다

모르는 척 가만히
시간에 기대어 있으면
머문 자리가 당신의 자리가 될 텐데

별의 안녕

선선한 바람이 인사를 하듯 뺨을 스치면
귀뚜라미 울음소리를 벗 삼아 멍하니 창밖을 본다

어느새 캄캄해진 밤하늘에는 동그란 달이
왜 이렇게 늦게 나왔냐며 꾸짖는 것 같다

달을 빤히 쳐다보며 두 손을 가만히 모아
양손에 가득 달을 담고 말을 건다

안녕, 안녕, 안녕
반가운 친구와 만난 듯 살갑게 인사를 건넨다

양손에 마음 듬뿍 모아서
빛을 잃어가는 내 별의 안녕을 전한다

각자의 별의 이야기를 담아가던 달은
슬쩍 조곤조곤 당신의 별 이야기를 들려준다

당신의 별은 빛을 잃은 것이 아니라
세상이 잠깐 밝아져서 잠시 보이지 않을 뿐이라고

당신의 별은 빛을 잃어가는 것이 아니라
이웃 별이 잠깐 더 반짝거렸던 것뿐이라고 걱정을 덜어간다

세상이 고요해질 때까지 이야기를 나누다 보면
졸음이 올 때쯤 달은 말 한마디 전하고 스르륵 사라진다

오늘도 당신의 별은 안녕하다고
당신의 별은 한 번도 빛나지 않은 적 없다고

밤하늘의 별을

오늘도 건네지 못한 밤하늘의 별을
다시 마음속에 꼬깃꼬깃 접어 담아두었다

우연히라도 만나게 되면
언제라도 바로 당신에게 건넬 수 있도록

품에 편지와 별을 꽁꽁 싸매어
매일 같은 길을 서성거렸다

별의 크기가 줄어드는지도 모르고
늘 같은 자리를 맴돌았다

마주치지 못하고 별을 놓았던 건
별이라도 당신의 어둠을 환히 밝혀주길 바랐다

조각별

조각난 별은 때때로
시간의 틈을 비집고 젖은 날개로 날아와
창가에 기대어 앉아서
나를 바라보고 있곤 한다

마주친 공허한 눈동자는
순식간에 우리를 가둬버리고선
뒤를 쫓아오라고 하듯 홀리고서는
길을 내고는 홀연히 사라진다

매일 밤 아무도 없는 그 틈에
조각별의 빛을 따라
내게 찾아와 같은 시간에
매번 똑똑 창문을 두드렸다

내게 마음속 조각을 모아
별빛을 따라
우리의 별을 만들자고 했다
그렇게 매일 밤 우리는 열심히 조각을 모았다

그 사이 시간의 틈은
무게를 견디지 못하고 무너져 버렸고
마지막 한 조각만 남긴 채
영원의 시간이 거듭된다

거듭된 시간의 끝에, 새로운 시간의 틈이 발생하고
젖은 날개로 또 한 번 창문을 두드려
마지막 시간 조각을 완성하고는 별빛의 길을 따라
우리는 반짝이며 빛 속으로 사라지고

또 하나의 조각별이 탄생했다,
우리라는 조각별이 되었다.

별 중의 별

특별할 것 같았던 나의 별은
별다른 것 없었던
별 중의 하나의 별이었어

특별했었던 나의 별은
시간이 지날수록 평범하게 느껴졌고
별이 아닌 돌멩이에 속았다고 생각했나 봐

익숙함에 놓아버린 나의 특별한 별은
우연히 멀리서 우두커니 바라보니
환하게 빛이 나고 있더라

특별하지 않다고 하여도 똑같은 별은 아닌데
너무 가까이에 있어선지 빛 때문에 눈이 멀어서
소중한지 모르고 반짝임을 몰라준 멍청이였나 봐

별은 바라봐 주고 소중하게 대해줄수록 빛난다는데
끝내 별을 떠나보내는 비극을 마주하고서야
겨우 밤을 떠나보내고 여명을 맞이해

아침을 맞이해 환해진 세상은
사막으로 변해가고 있었고
눈물은 마르지 않는데 세상은 메말라 갔어

품 안에 가둔 별

우리의 우주 속 밤하늘에 가득히
수놓았던 우리의 별들

너무나도 예쁘고 눈이 부셔서
품 안에 가둬놓고서도 불안에 떨며
흘려보내야만 했던 나날들이 후회된다

품 안에 가둬놓고서도
감히 별을 품어놓고서도
결국은 손에서 별을 놓았다

행복한 상상이 현실이 되고
물들었던 마음이 다시 흑백으로 바뀔 때까지
행복을 잃었고 불안을 얻었다

저 별을 나만 알고 가졌음에도
왜 그리 혼자 버둥거렸을까?

별 주머니

나에게는 별 주머니가 있습니다
고만고만하고 비슷비슷한 인생 안에도
때에 따라 기분에 따라
반짝반짝하고 떠다니는 것들이 있습니다
그때마다 그걸 안 놓치고
별 주머니에 차곡차곡 잘 모아두었죠

계절에 흩날려 떨어진 꽃잎처럼
별들이 떠나가 외로운 하늘처럼
가슴 한편에 조그만 구멍으로
여럿 바람이 솔솔 파고들면
그 별들 하나씩 꺼내 보면서
그 시간을 견디고 있습니다

지금은 잡고 있던 모든 것들을
슬며시 하나둘씩 내려두며
새로운 별들을 찾아가려 합니다
유난히도 빛나고 어여쁜 저 별을
내 별 주머니에 놓치고 싶지 않아서
반짝반짝 가득 채우고 싶어서

알고 나면 못 하는 것이 많기에
처음으로 돌아가려 합니다
오직 반짝반짝 빛나는 저 별만 바라보며
한 발짝 앞으로 나아가려 합니다
다 아는 것도 해봤던 것도
저 별과는 처음입니다

3부
실바람이 스쳐 간 그곳에서

이름 그리고 이름

흰 종이 위에
진하게 새겨진 각인
이름 그리고 이름

그 모든 이름의 무게에
입으로 내뱉을 수 없었다

쉽게 쓰인 이름
눈물 젖은 이름
적을 수 없는 이름

용기를 내어
다시 한번 내뱉어 보려 한다

나의 이름을
너의 이름을

잊고 있던 그 의미를
다시 한번 새겨보려 한다

그 모든 이름의 의미를 알기에
모두를 이어준 그 단어를 쉽게 부를 수 없다

꽤 오래전부터 처음 본 후 지금까지
쉽게 불리었던 그 이름을
마음을 담아 불러보려 한다

나의 이름을
너의 이름을

무언의 약속

세상에서
제일 가벼우면서도 무거운
가장 빠르게 흐르는 그것

그 누구도
한번 흩뿌려지면 다신 주울 수 없는
너와 나도 될 수 있는 그것

우리라면
더욱더 함부로 해서는 안 되는
끝없는 상처를 만들 수도 있는 그것

한 줄기 빛같이
누군가를 살리고 망가뜨릴 수도 있고
천국과 지옥을 오갈 수 있는 그것

어린 너에게도
성장한 나에게도
어른인 그대에게도

각인시키고 조심시키는 그것
모두가 아는 그것
아낄 수 있으면 최대한 아껴야 하는 것

청아하기도 중후하기도 한
그대들의 목소리로 아름답게 내뱉어라
모두 함께 내뱉어라

모든 이를 품고 사랑하는 마음으로
세상에서 가장 아름다운 그대의 목소리로

어느 순간에나 의미 있을 수 있도록
행복과 웃음이 묻어 나올 수 있도록
새빨간 거짓 하나 없도록
그대의 아름다운 입술로 속삭여라

다짐

한 뼘이네요
이 한 뼘의 기울어진 어둠으로
컴컴한 세상에서 사는 건 억울하잖아요

지나친 기우와 비약으로
헛되이 시간을 낭비하지 않으려 합니다
아무것도요, 그래서 아무것도 하지 않으려 합니다

무얼 보든 듣든 흘러가는 대로 놔두려 합니다
그 모든 것에 뜻이 담겨있음을
앞으로 쓰일 그 모든 것들에

상처를 입고 덧나고 반복되는 상처가
아물지도 못하고 또 반복돼도
이 세상은 멈추지 않고 돌아갑니다

지금껏 그러하듯 또 그러려 합니다
그런 날들도 다 지나가고
그걸 알만큼 살아간 날이 오면 깨달을 날이 올 겁니다

나의 날이 그리 길지 않다고 하여도
길지 않으면 어떠합니까?
멀리 내다보지 말고 지금을 소중히 여기려 합니다

가만히 움켜쥐고 있었던 꽃잎 한 장을
파란 하늘 구름 가득한 그날
다가온 바람에 보내 주려 합니다

꽃처럼 훨훨

꽃잎이 떨어지듯
마음이 가벼워져서
세상을 훨훨 날아가고 싶다

꽃이 맺히고
열매가 익어도
결국, 썩는 건 매한가지니

사람이라 대단한가 싶고
손에 가득 쥔 것을 펼치면
스르륵 사라질 것 같다

인연은 부질없고
운명은 거스르니
흔적은 향기뿐이리

백일초

어두운 터널을 지나
그리웠던 향기를 맡으며
터벅터벅 묵묵히 걸어가다 보면
작년에도 인사했던 구름이
그 자리에서 맞이한다

굽이진 길들을 지나가다 보면
올해는 더 눈높이가 낮아진
동네 할머니와 마주하면
눈시울이 붉어진다

어릴 적 높게만 느껴졌던
여러 번 색깔이 바뀌었던 대문과
아직도 높아 보이는 파란 지붕은
오늘따라 유난히 더 슬퍼 보인다

문을 지나 한 걸음 들어서면
징겨웠던 게 짖는 소리와
촉촉했던 흙바닥은 이제 없다

우거진 나무와 허리춤까지 오는 풀과
말라붙고 갈라진 흙바닥이 맞이한다

언제나 방긋 웃으며
그 자리에서 맞이해 줄 이는 이제 없다

결국은 세월에 소리 없이 묻히고
흔적 없이 흘러가며 스며들어 갔다

모든 것이 순리이자 운명이지만
톡 떨어지는 한 방울은
여전히 같은 마음이다

꽃

삶은 꽃과 같습니다
꽃이 필 때가 있으면
질 때도 존재합니다
인생도 그러합니다

꽃이 필 때가 있듯이
소임을 다하였듯이
이제 쉬다가 다시
또 나올 겁니다

파릇파릇한 새싹에서
향기를 품는 꽃이 되고
다시 열매를 품을 때쯤
인사합시다

안녕 그리고 안녕.

어둠 속에서

칠흑 같은 어둠 속에서 버티려면
할 수 있는 일이라고는
눈이 어둠에 완전히 적응할 때까지
그 자리에 서서 가만히 지키고 있을 뿐입니다

아등바등 세상 밖으로 나가기 위해
억지로 자신을 태워 어둠을 밝히려 한다면
자칫하면 더 큰 어둠에 쫓기거나
칠흑 같은 어둠에 영원히 잠식 돼버릴 뿐입니다

다만 짙은 어둠이 깔려있다면
발버둥을 치기보다는 조각조각 흩어졌던
내면의 빛나고 소중한 마음의 조각을
모아 담아 살펴볼 뿐입니다

언제일지 모를 마지막을
어둠에 잡아먹히게 될지 모를 마지막을
물음표와 후회로 남기고 싶지 않을 뿐입니다

책갈피

열심히 잘 읽어가다가도
잠시 멈출 때가 있습니다

언젠가 다시 그 책을 집어
읽을 순간을 위해서
다시 찾기 쉽게 표시합니다

스무 살의 내가 서른 살의 나에게
잠시 머물렀다가 갔다는
흔적을 남겨주기 위해서입니다

수없이 해야만 했던 선택과 기회는
후회가 아니라 경험이었음을
포기는 나쁜 것이 아니라 선택이었음을
남겨두기 위해 나는 책갈피를 끼워둡니다

휴식

영원한 걸음은 없습니다
내 시간이 지금을 가리키고 있습니다

그래도 괜찮습니다
끝난 게 아니라
잠깐 쉬어가는 거니까요

멋진 다음을 기다리면서
잠깐 멈춰 서 있는 것뿐이니까요

자신을 마주할 용기를 가지고
제대로 직면할 시간을 갖고서야
내게도 늘 바라만 볼 수밖에 없었던
오아시스를 맞이합니다

지금은 오아시스를 누릴 시간입니다
시원한 물도 벌컥벌컥 마셔보고
자연이 주는 그늘에 몸을 편히 뉘어도 봅니다

하늘의 구름이 다른 이를 향해 가는 모습을
여유롭게 바라보며 나른한 일상을 보내봅니다

이제는 다시 걸을 수 있는 준비를 하며 오아시스를
저 멀리 걸어오는 다른 이에게 넘겨줍니다

완벽한 준비라는 건 존재하지 않습니다
또 다른 오아시스를 향해
새로운 발걸음을 내딛기만 하면 됩니다
걸을 준비가 다 되었습니다
사뿐사뿐 그 걸음 시작합니다

내리막에서

휘리릭 바람 소리가 들리니?
기울기만 바꾸면
스르륵 미끄러지는 내리막을
바람 타고 내려가고 있어

저 멀리 수군거리는 소리가
귓가에 아옹거리지만
마음을 거스르고 껍데기만 올라가지 않으니
어깨가 훌훌 춤은 덩실덩실 마음이 풍족해

언제부터 정상은 오르기만 했는지 몰라
내려가는 재미와 가벼운 마음은
세상을 더 넓게 보는 기회를 품고
보지 못한 귀한 인연을 손에 쥐어줄 텐데

바람의 노래

살면서 단 한 번이라도
바람의 노래를 들어본 적 있는가?

모두 세월 따라
흔적도 없이 변하였지만

바람은 알알이 흩어져 가는
우리의 모든 순간을 노랫말로 선물한다네

추억이 흩날리는 거리에서
한 줌 가득히 품에 가득 안고서

지친 시간을 가득 메우고
무너질 것만 같은 그 순간에도 머물다 간다네

언제나 돌아오는 계절은
아프고 또 아프지만

외롭고 쓰라렸던 그 순간의
너덜너덜한 마음조차 모두 데려가며

쓰라리고 아픈 순간들이 지나가고
무뎌지는 그날이 오면

바람은 인생이라는 명곡을 들고
곁으로 스르륵 다가와

머리를 쓰다듬어 주며
휘리릭 휘리릭 그 고운 목소리로

헤진 마음을 어루만져 주면은
물감처럼 그 따뜻함이 마음속에 번져간다네

4부

상처를 얼리고 마음을 녹이며

스물의 자리

스물이 되면 하루아침에
아이에서 성인의 자리를
강제로 받게 되는 것

실수하고 넘어져도
위로보다는 눈초리를 감당하고
응원보다는 비교를 받는 것

앞자리 하나
새로 바뀌었을 뿐인데
어른을 강요당하는 것

스물이 이런 거라면
난 거부하고 싶다
어른의 자리를 반납하고 싶다

겁쟁이의 세상

건네는 손을 붙잡지 못하고
뒤돌아섰던 건
마음의 문을 닫은 게 아니라
내 세계를 지키기 위함이었어

노크 없이 곁에 서는 건
배려가 아닌 침범이었고
빨간 불로 경고가 반복되자
높은 성벽을 쌓아 숨은 겁쟁이가 되었지

성에 문을 만들지 않은 건
더는 버틸 힘이 없어서
지레 겁을 먹고 무너지지 않기 위해서
문을 꽁꽁 막아버렸어

함께 있어 외로워질 수도 있고
흩어져야 살 수 있는 것도 있더라
시간 지니고 보니 이제는 우리가 아닐 때
견고한 세상 속에서 숨을 쉴 수 있더라

거울 겁쟁이

입은 웃지만, 눈은 웃지 못하고
몇 겹의 가면을 쓰고서야
두런두런 이야기를 나눈다

잔잔한 물결에도
눈앞의 시냇물도
들여다보지 못한다

물결 대신 마음이 요동치고
가까이하지 못하는 건
투명한 물에 내가 비칠까 봐

그 흔한 거울조차
손에 들지 못하고
뒤돌아선다

비눗방울

멀리서 본 너는
참으로 어여뻤다

동글동글한 외형에
눈부실 정도로 투명했다

자유로운 분위기를 풍기던 너는
다가가면 마법이 풀린 것처럼
스르륵 사라질 것 같았다

시간 지나 가까이 한 너는
가까워진 너는

여전히 동글동글한 모습이었지만
탁하고 불투명했다
너무나도 이기적으로 굴었다

지 히니 제어히지 못해
스스로 사라졌다

많은 이의 희망을 품던 너는
어느새 너 밖에 안 보게 되었다
그리고 홀로 세상에서 사라졌다

남은 이들의 아픔은 생각조차 하지 않고
너는 마지막까지 이기적으로 굴었다

결국, 꽃

오색빛깔로 유난히 티를 내며
혼자 그렇게 뽐내더니
결국, 너도 꽃송이에 불과했구나!

피고 지기를 끝도 없이 반복하고 나서야
주제를 파악할 줄 알았구나!

너는 허리를 굽힐 줄도 알고
고개를 숙이는 법도 배웠구나!

저 잘난 맛에 살았던 것이
어느새 가벼운 바람에도
몸을 사리는 것이 퍽 웃기는구나!

미아

멀어진 거리를 좁히려고 앞만 보고 달려가다가
더는 달리는 것을 포기를 마주하는 순간

세상이 온통 흑백으로 바뀌고
시간이 멈추고 어떠한 소리도 들리지 않던 그때

그제야 깨달은 한 가지
지금까지 놓치고 보지 못한 그 모든 것들에 대한 허망

지도 없이 무작정 뛰어갔던 죄로
도착점도 출발점도 잃어서 갈 곳이 없는 미아

이제는 이 자리와 이 순간이라도 지켜야 해서
제자리만 맴돌아야 하는 미아

갇힌 세상

하늘 높이 날기를 열망하여
반짝이는 눈빛을 숨기지 못하고
앞을 향해 끝없이 내달렸다

숨이 벅차오르고 끝내 멎을 것 같을 때
넘어지고 일어나고 또 넘어졌고
여전히 하늘을 우러러보았다

달리기를 멈추고 마음을 숨기고서야
달리던 길이 거센 흙길 위가 아니라
어떤 이가 만든 잔디밭 속 인형극인 걸 볼 수 있었다

동그란 세상 속 하늘이
그려진 세상이었고
돌고 돌아도 제자리인 트랙이었다

이제 나는 어디로 가야 할까?
어디에 있어야 하는 걸까?
결국, 또 내 안에 갇혀 버렸다

어른아이

보일 듯 말 듯 가물거리는
그 길을 따라 걷다 보면
잡힐 듯 말 듯 멀어져 가는 끝을
붙잡아 보려 아등바등 애를 쓰지만
이리저리 둘러보아도 찾을 수 없네

이리로 가야 하나 저리로 가야 하나
방법을 몰라 아득하기만 한데
이끌리듯 도착한 그 끝에는
흐릿흐릿한 글씨로
시작이라는 조그만 표지판 하나가 있었네

가리어진 내 길의 끝에는
끝이 아닌 이제 시작이었음에
잊어버리고 살아갔던 기억을
헤집어 꺼내 보면
시작조차 했던 기억도 없었음을

쫓기는 듯한 하루하루에
지쳐가고 있었고
끝없는 길 위에는
초라하고 길을 잃은 어른아이가
제자리걸음으로 머물고 있었네

이방인

어디를 향해 걷고 있는 걸까?
언제쯤 도착할 수 있을까?
출발과 도착이 명확하지 않아
나는 어느새 이방인이 되어버렸다

길을 잃은 채 묵묵히 걷고만 있는데
쉼은 없고 하루는 흘러간다
어느새 정신은 멍해지고 말을 잃어갔다

그래도 해는 떴고 밤에는 달이 비추었다
걸어도 걸어도 끝이 없는 길에서
아직도 한참 남은 건가 싶었을 때쯤
옆으로 다가온 그림자 하나가 보였다

그림자가 내게 물었다
너의 길은 무엇이냐고
질문은 쉬우면서도 어려웠지만
대답을 할 수 없었다

길과 도착지는 달랐음을 알았기에
목표는 없었지만
습관처럼 걸어온 길은 내게 이유가 없었다
단지 기다림을 위한 걸음이었기에

그림자는 다시 내게 물었다
어떤 길을 가고 싶냐고
아무런 생각이 나지 않았지만
심장이 빨리 뛰기 시작했다

대답하기 전에 스스로 되물었다
행복을 어떻게 찾아갈 거니?
어떤 길을 가든 묵묵히 기다릴 거니?

그림자와 나 자신에게 답했다
내가 가장 행복한 길을 찾을 거라고 믿어
지금의 나는 인생이라는 큰 시련 속에
길을 찾고 있는 이방인일 뿐이니

난파선

옆에서 내미는 손을 꽉 붙잡고
쉴 틈 없이 몰아치는 바람과
평온함은 없었다는 듯 넘실대는 파도를 느꼈다

철썩철썩 파도가 배에 부딪히는 소리와
고개만 휘적대며 주위를 맴도는 갈매기
균형을 잡을 수 없는 위태로움이 함께 했다

서서히 파도의 위치가 배보다 높아지고
차가운 바닷물에 잠겨 귀가 먹먹해지자
마음이 소금처럼 진하게 녹아들었다

예고된 마음이었나보다
이 배는 난파선이었다는 것을

독백

우리의 의미를 알지 못했다면
피는 꽃보다 져버리는 꽃들을
아쉬워하는 쓸쓸한 계절이었음을

나의 모든 계절에
네가 함께할 수 있었음에 감사함을
늘 함께한 모든 시간이 당연하지 않았음에도
함께할 수 있었음에 안도함을

모든 순간이 감사함과 안도함으로
가득 채워진 선물이었음에도
소중함을 모른 채 안일하게 흘려보내 버렸다

돌이켜보면 하나둘 손가락으로
셀 수 없을 만큼의 기회가
휘날리는 꽃잎처럼 가득했었지만
미련하게 그대로 떠나보내 버렸다

떠나보낸 후부터는 일분일초가
아쉬움과 그리움으로 쌓여가지만
이제는 그조차 사랑해 보려고 한다
모든 걸 사랑해 보려고 한다

설익은 용기를 내어 가득 품어보려고 한다
한 걸음 한 걸음 미숙한 걸음을 내디며 보려 한다
우주의 어느 별보다 빛날 수 있도록
용기를 실어준 네가 영원한 나의 빛이다

한잔

빛이 번져가는 저녁
너와 처음이자 마지막으로
술잔을 함께 기울였다

함께한 많은 세월 속
수없이 그려왔던 선과
빼곡하게 쌓았던 벽은
우리를 이제야 마주 보게 만들었다

조그마한 소주잔 가득 채워진 술은
알코올 가득한 화약 약품일 뿐인데
여러 맛을 내어 마음이 아려온다

추억을 안주로 곁들인 술은 단맛을
어긋난 순간이 가득한 기억은 쓴맛을
멍하니 흘려보냈던 세월은 매운맛을
눈물을 곁들인 마지막 잔은 짠맛을

우리는 어떤 맛을 내었던 사이였을까?
늘 내게 씁쓸한 맛이었던 것을 넌 알까?
차마 물어보지 못한 말을 한 잔에 담는다
내게 나는 무슨 맛이었을까?

노오란 조명 속 탁자에 마주 앉은 우리는
모든 장벽에 둘러싸인 검은 맛이었다

감정의 쓰레기통

연습도 없는 낯선 발걸음
누구에게도 쉽지 않은 그 길을 걷는,
오늘따라 더욱 힘든 그대에게
나 역시도 처음이라 말하고 싶다

그대의 모든 걸 나에게 가득 채워 쏟아낼 때
세상이 꼭 막힌 것 같다
마치 끝이 보이지 않는 터널처럼
물 흐르듯 쌓인 찌꺼기는
어느새 암흑 속 큰 괴물이 되어간다

뒤늦게 필사적으로 막아보지만
그때는 이미 늦었다
그대가 마구마구 던진
감정에 묻혀 어느새 내가 사라졌다

잊지 마라
나는 그대의 감정의 쓰레기통이 아님을

5부

가까이하고 싶지만 가까이할 수 없는

하늘을 바라본다는 것은

틈틈이 하늘을 바라본다는 것은
나를 바라본다는 것
나를 볼 줄 안다는 것

이는 나에게
두려움이자 경이로움이고 동경이었다
때로는 기적이었으며 삶이었다

이유도 없는 결핍과 외로움에
풀리지 않는 의문들을 가득 품은 채
하늘을 바라보면

공허한 눈동자가 색으로 덮이며
마음이 차오른다

하늘을 바라본다는 것은
나에게 그런 것이다

나를 찾아갈 수 있게 해주는
지표 같은 것

국화 단심

땅의 열기가 식고
바람의 냄새가 차가워지면
가을의 국화가 결곡한 자태를 드러내어
하얗고 노랗고 붉은 마음으로
외로이 버티는 소나무를 감싸안는다

아침을 뒤로하고 저녁에 자리 잡아
찬란한 옛 모습을 품은 채로
맑은 향기를 내어주고
벼랑 끝 모난 끝까지 채워준다

둥근 꽃송이는 하늘에 닿고
잡티 없는 황색은 땅을 비추니
일찍이 태어나 늦게 개화하여
이 마음 가볍지 아니하고

그 기세 굳세고 곧다
국화야, 국화야
끝내 너는 향기로 내 마음을 물들이는구나!

능소화

해바라기도 아닌 것이
어찌하여 해만 바라보고 있는가?
제 것이 아닌 것은 쳐다보지도 말아야지

홀로 애달프게 기다린다고 하여
바뀌는 것 하나 없음을
어리석은 너만 빼고
세상 모두가 알고 있지 않으냐

몸은 작아도 마음 하나는 큰 죄로
스스로 벌을 내려
햇볕에 타 죽으니
다들 떠난 빈자리에 그림자처럼 맴도니라

해가 비추는 그날까지

해가 이리 지고 캄캄한 암흑 속에서
언제 해가 뜨나 하늘만 바라보고 있소

그저 이리 기다리고 있는 것이
무능하기 그지없어도

이 마음 몇 번이나 고쳐보려 해도
길을 찾을 수 없어 계속 걸었소

일 백번 돌고 돌아
도착한 곳이 지금 여기오

그대에게 내 마음이
나의 노력이 담기기에
이 편지는 한없이 부족하지만

몇 번의 시간을 거듭 삼아
그 길의 끝에 밝은 햇빛이
그대를 비추는 날이면

내가 그대 곁에 어떤 모습으로든 나타나
그 영광을 함께 누리겠소

내심(內心)

푸르러야 한다고 하여 푸르렀고
붉어지라 하여 붉어졌습니다

이제야 감히 아뢰온대
진정 고유의 색이 변할 수 있겠습니까

목청 높여 인상 쓰고
푸르고 붉어지라고 아무리 고함쳐도
진정 그리될 수 있는 것입니까

내 본 색은 어두움인데
어찌 푸르고 붉어지겠습니까

허나 그리해야 그대의 곁에
머물 수 있다고 하여 눈을 가리고 살고 있습니다

다만 지금이라도 전하고자 하는 제 진심은
세상에는 어두움이 있어야 빛이 가치가 있다고 하니
내 어둠은 당신의 그림자에 지금처럼 숨겨두려 합니다

부디 당신은 뒤를 돌아보지 말고
절대 흘러가는 아둔함에 몸을 싣지 말고
그 자리에서 버텨주시오

내가 그대의 청과 홍, 백과 흑
그 어느 것으로든 그대를 지킬 테니

봄바람

모든 것을 품고 살기에
행복하다는 것을 아실까요?

바람처럼 스르륵 흘러가는 세월을
알알이 흩어지는 시간을

고이 간직하기에는
그릇이 너무 작아 힘이 듭니다

오는 길이 그리 곱지는 않았어도
너무 어려운 길은 아니었죠

힘이 드는 건 다시 그 길을 돌아가야 하는데
날 붙잡고 있는 미련 때문입니다

세월이 지나 아둔한 머리와 마음이
발길을 붙잡고 있네요

머나먼 그날,
쌓인 눈이 사르륵 녹고

파릇파릇한 새싹이
안녕하며 인사할 때쯤에는

봄바람처럼 다시 내게
살랑살랑 불어와 주세요

인연

영원한 내 것이란 건 없습니다

사람과 사람 사이에는
수많은 스쳐 가는 인연이 존재할 뿐입니다

당신이 내게, 내가 당신에게
손끝만 스쳐 갈 인연이었나 봅니다

잠시뿐이었지만 참 따스하고 아름다웠던
순간을 함께할 수 있어 행복했습니다

우리라는 이름에 갇힌 채 살았지만
내가 당신을, 당신이 나를
버렸다고 여기지 마세요

혹여 당신이 그리 여기며 슬픔에 갇혀 살지 두렵고
그립고 그립지만, 가까이할 수 없다는 걸 잘 알기에 슬픕니다
하지만 이번 생에서는 우리의 인연은 여기까지 인걸요

녹음이 짙어지고
기분 좋은 산들바람이 불어와
나뭇잎을 간지럽히면

졸졸 흐르는 시냇물 소리와 맑게 울려 퍼지는 산새 소리를
평온하게 들을 수 있는 그날이 오면
당신을 다시 만날 수 있기를 그려봅니다

묶인 실을 풀고, 안녕

전하지 못하고
고이 접어두었던 마음을
감히 펼쳐봅니다

그대들이 어려워 맘껏 표현하지 못했고
내가 그대들에게 어떤 사람인지
감히 묻지 못했습니다

돌아서는 마지막 순간까지
그대들의 안녕을 바라며
말 한마디조차 남기지 못하고
흔적 하나 남기지 않고 떠납니다

떠나야 하는 주제에
나름 괜찮은 사람이었다고 듣고 싶어 했던 건
처음이자 마지막으로 내어본 저의 욕심이었습니다

묶인 실을 흩트려 풀고
잠시 스친 바람으로 그대 옆을 지나갑니다
잘 지내요, 안녕

마음속의 그대

그대의 삶과
그대의 추억은
그대만의 것이 아닙니다

많은 세월 지나 오늘 그대에게
이 모든 게 사라진다고 하여 지워진다고 하여
그대를 원망하는 이는 없습니다

그저 함께한 시간에 고마워하며
앞으로 함께 해줄 거라는 믿음으로
앞으로도 그대를 영원히, 여전히 사랑할 것입니다

그대의 기억이 모두 사라진다고 하여도
그대의 마음속에, 우리의 마음속에
고스란히 남아 있을 것입니다

그대의 어여쁜 모습을
그대의 환한 미소를
끝까지 곁에서 지켜보며 함께할 것입니다

가장 중요한 건 기억하는 게 아니라
나와 그대가 그리고 우리가
함께하고 있다는 것이니 마음 쓰지 마세요

지금부터는 내가 그대를 간직할 테니